Vinicius Galhardo
texto & ilustração

» caboclo «

Tupinambá

e a serpente

Rio de Janeiro
2019

Copyright © Vinicius Galhardo, 2019
Direitos de publicação © Editora Aruanda, 2019

Direitos reservados e protegidos pela lei 9.610/1998.

Todos os direitos desta edição reservados à
Borboleta de Aruanda
um selo da EDITORA ARUANDA EIRELI.

Coordenação editorial Aline Martins
Preparação Editora Aruanda
Revisão Andréa Vidal
Design editorial Sem Serifa
Ilustrações Vinicius Galhardo
Impressão Gráfica Eskenazi

Texto de acordo com as normas do Novo
Acordo Ortográfico da Língua Portuguesa
(Decreto Legislativo nº 54, de 1995)

Dados Internacionais de Catalogação na Publicação (CIP)
Agência Brasileira do ISBN
Bibliotecária Priscila Pena Machado CRB-7/6971

G155 Galhardo, Vinicius.
  Caboclo Tupinambá: e a serpente /
Vinicius Galhardo. — Rio de Janeiro:
Borboleta de Aruanda, 2019.
  36 p. : il. ; 21 cm.

  ISBN 978-65-80967-00-1

  1. Literatura infantojuvenil brasileira.
2. Umbanda. I. Título.

  CDD 808.899282

[2019]
IMPRESSO NO BRASIL
http://editoraaruanda.com.br
contato@editoraaruanda.com.br

No céu, o Sol brilhava
e, na aldeia, o dia começou.
Um índio se preparava,
e na mata adentrou

Seu nome era Tupinambá,
e estava saindo para caçar.
Ia desacompanhado
para não ser incomodado.

Preparado com arco e flecha,
pela mata avançava,
procurando algum sinal ou brecha
dos animais que caçava.

Depois de muito procurar, encontrou as pegadas de um animal. Sem perder tempo, começou a rastrear mas não tinha a certeza de que bicho era, afinal.

O rastro era extenso,
mas ainda estava fresco.
O animal havia percorrido
um caminho gigantesco.
Com isso Tupinambá
estava acostumado
e não perderia o bicho
que na mata havia entrado.

Com seu arco e sua flecha na mão,
perseguia o rastro pela floresta.
Andava pela mata com atenção,
pois ali viviam muitas criaturas além desta.

Mas algo inesperado aconteceu!
Por essa Tupinambá não esperava.
O rastro do animal que ele caçava
simplesmente desapareceu.

Rodava em círculos, abismado,
procurando algum sinal.
E ficou desorientado
sem saber cadê o animal.

Na selva, o perigo é imenso.
No breve tempo em que ficou desatento,
do alto das árvores um galho se soltou
e a cabeça de Tupinambá acertou!

A pancada foi tão forte
que nosso herói caiu desmaiado
e por dias permaneceu desacordado.
Sequer sabia onde estava o norte.

Depois de muito tempo, Tupinambá acordou.
Fraco, zonzo e cansado,
permaneceu um tempo sentado,
pois aquele galho realmente machucou.

Reunindo forças,
depois de algum tempo,
começou a cambalear ao relento.
Dolorido e enfraquecido,
mal se lembrava
do animal perdido.

Depois de muito caminhar, percebeu que não conhecia aquele lugar. Tupinambá estava perdido na mata que achava sempre ter conhecido.

Fraco, cansado
e desorientado,
Tupinambá começou
a ficar desesperado.
E sentiu um calafrio
congelar sua espinha
como um sinal de que
alguma coisa tinha.

Ele olhou ao redor
esperando pelo pior.
Acreditando ser uma fera,
mas, na verdade, não sabia o que era.

Na onça, a serpente se enrolou
e com ela bravamente lutou!
Defendendo o índio como a um filho.
Ninguém jamais tinha visto aquilo.

O susto foi tanto que a onça correu
e dentro da mata desapareceu.
A cobra foi uma aliada valente
que deixou Tupinambá contente.

Ambos iam pelo caminho.
Tupinambá não estava mais sozinho.
Mas a serpente é um animal perigoso,
e ele decidiu ser cauteloso.

Conforme o tempo passou,
o medo se esvaiu.
A confiança se instalou
e a amizade entre eles surgiu.

Tupinambá e a serpente
andavam lado a lado,
mas ele estava cada vez
mais fraco e cansado.

A caverna era um lugar mágico!
Era a grande morada das cobras,
e, antes que nosso herói
tivesse um fim trágico,
elas começaram
a realizar suas obras.

Em seu corpo foram se enrolando,
usando sua sabedoria e magia,
aos poucos o índio foram curando
e devolvendo toda a sua energia.

Tupinambá passou a ali viver.
Tornou-se grande amigo das serpentes
e com elas começou a aprender.
Todas eram sábias e valentes,
mas uma delas era especial:
pela serpente que salvou a sua vida
tinha um amor sem igual.

Ela se tornou sua melhor amiga.
As cobras ensinaram, sem uma palavra dizer,
e Tupinambá aprendeu tudo sobre magia e poder.
Elas também passaram conhecimento,
mostrando os caminhos mata adentro.

Depois de tudo o que sofreu
e de todo o ocorrido,
Tupinambá, na caverna, renasceu
com seu lindo cocar colorido.
Sabendo agora o caminho das Sete Matas,
Tupinambá resolveu à aldeia retornar.
Já conhecia tudo de maneira exata,
mas não queria sua amiga abandonar.
A serpente também não quis deixá-lo
e resolveu acompanhá-lo.
Em seu braço ficou enrolada
durante toda a jornada.

E quando à aldeia chegaram,
no que viram não acreditaram.
Estava tudo destruído
e a vida tinha se esvaído!

O povo europeu a aldeia invadiu
e a tudo o fogo consumiu.
Tupinambá ficou arrasado
porque tudo estava acabado.
A princípio, pensou em desistir,
mas depois decidiu reconstruir.

Com a ajuda de sua fiel amiga, reergueu sua oca Tupinambá. Ficou maior e melhor que a antiga. Coisa mais linda neste mundo não há!

Certo dia, uma índia que
caminhava por perto
viu a oca de Tupinambá.
Sem saber o que dizer ao certo,
pediu para ali morar.
Aos poucos, mais índios chegavam
e a aldeia eles povoavam...

Continua...

Vinicius Galhardo mora em São Paulo. Ilustrador, designer gráfico e quadrinista, já trabalhou por cinco anos no mercado editorial de mangás e foi um dos selecionados no Prêmio Brasileiro de Mangás 2018, ficando em segundo lugar. Também é autor da obra *Contos tupi-guarani: irupé*. Estudou ilustração infantil, roteiro, composição, histórias em quadrinhos e nanquim. Atua como ilustrador *freelancer* desde 2013.